위즈덤하우스 드림

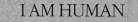

I AM HUMAN

나는 ( )*사람이에요

세상과 마주한 우리를 위한 응원

글 수전 베르데 ✽ 그림 피터 H. 레이놀즈 ✽ 옮김 김여진

위즈덤하우스

나는 세상에 태어났어요.
기적 같지 않나요?
수십억 사람 중에
나는 오직 하나뿐이에요.

나는 사람이에요.

나는 끊임없이 배워요.

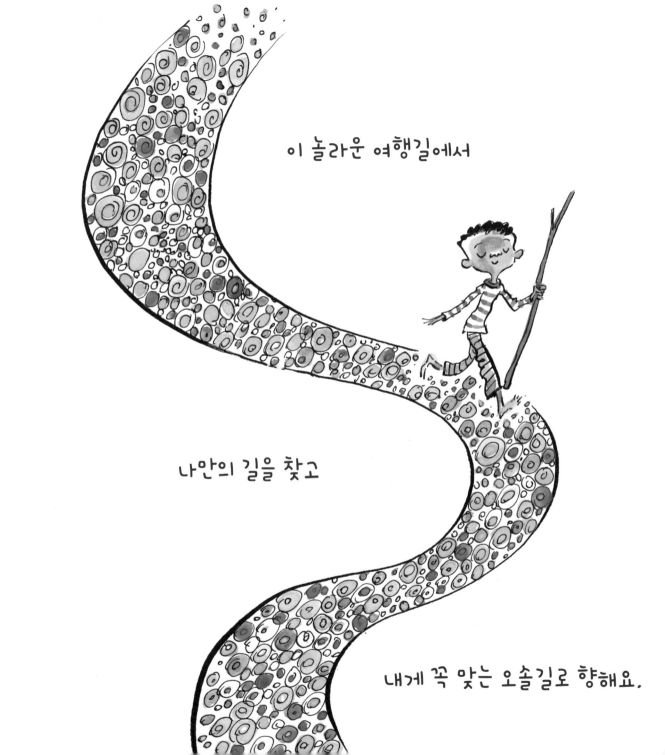

이 놀라운 여행길에서

나만의 길을 찾고

내게 꼭 맞는 오솔길로 향해요.

나에겐 커다란 꿈이 있어요.

먼 훗날 꿈을 이룬 나를 상상해요.

나는 호기심이 퐁퐁 샘솟아요.

끝없이 새로운 것을 발견해요.

나는 놀랍고 신기한 세상을 만나면
가슴이 두근두근해요.

아름다운 자연에도 늘 감탄해요!

나는 노는 것을 아주 좋아해요.

친구와 함께라면 더욱 즐거워요!

나는 사람이에요.

하지만 사람이기 때문에
나는 **완벽하지 않아요.**
가끔 실수를 해요.

나는 말이나 행동으로
다른 사람을 아프게 해요.
때로는 눈빛만으로도요.

물론 내 마음이 다칠 때도 있어요.

나는 모르는 세상이 두렵기도 해요.

새로운 도전 앞에서는 주춤주춤해요.

슬픔이 밀려오면
무거운 돌을 매단 듯
마음이 축 처져요.

나는 사람이에요.

그럴 때면 생각해요.
나는 사람이니까
내가 선택할 수 있다고!

나는

다시 힘차게

앞으로 나아갈 거예요!

그러다 잘못된 선택을 하면 어쩌죠?

마음을 달리 먹으면

분명 멋진 선택일 수 있어요.

하루가 엉망이면 어쩌죠?
조그만 친절로
근사한 날을 만들 거예요.

나는 먼저 손 내밀어
다른 사람을 도와 주고 싶어요.

나는 언제나 치우치지 않는 마음으로
모두를 평등하게 대하고 싶어요.

싸우고픈 마음이 들 땐,
가만히 귀 기울여
친구의 마음을 들어 볼래요.

그리고

"정말 미안해."라며

나지막이 사과를 건네겠어요.

나는 사람이에요.

수십억 사람 중에
나는 오직 하나뿐이에요.

그렇지만 나는 결코 혼자가 아니에요.

친구와

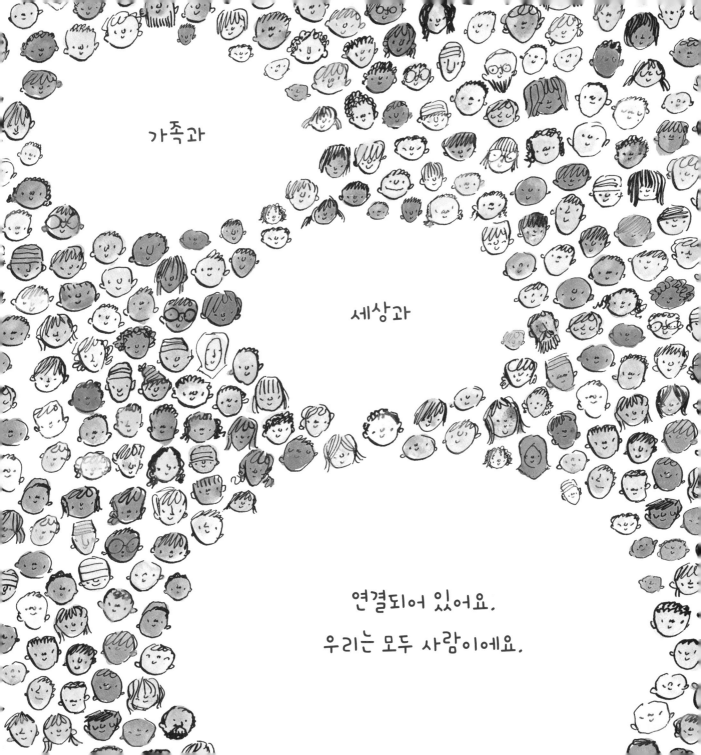

가족과

세상과

연결되어 있어요.
우리는 모두 사람이에요.

이토록 다양한 내 모습 중
가장 아름다운 나를 꿈꾸며
언제까지나 노력할 거예요.

희망으로 가득 찬

나는 사람이에요.

작가의 말

사람이 되기 위한 여정에는 언제나 쉽지 않은 도전들이 도사리고 있어요. 하지만 가능성이 넘쳐나는 길인 것도 사실이죠!《나는 ( ) 사람이에요》는 개인으로서의 사람과 지구 공동체 속에서의 사람, 두 가지 모두로 살아가는 이야기예요. 사람이기에 우리는 실수를 하지요. 하지만 현명하게 대처할 수 있는 능력도 지녔어요. 실수를 하며 배우고, 변할 수 있지요. 힘겨운 상황에서도 우리는 다른 사람에게 친절을 베풀 수 있어요. 이처럼 우리는 사랑하고 아끼는 마음을 보여줄 수 있어요. 우리 모두 마음속에 '인간다움'을 지녔다는 사실에 감사하면서요.

우리 주변 사람들에게 사랑과 친절을 나누는 근사한 방법은 바로 '축복 명상'을 연습하는 거예요. 이 명상은 심리와 신체에 여러 긍정적인 효과를 미친다고 해요. 긴장이 풀리고 편안해지며, 공감 능력이 발달하고, 감정 조절과 안정된 심리 상태를 되찾는 데에도 큰 도움이 된답니다. 또한 긍정적인 생각과 베푸는 마음이 늘어나는 동시에 편견과 자기 비난은 줄어든다는 점도 빼놓을 수 없지요. 이제, 무척 간단하면서도 효과적인 '축복 명상'을 따라 해 볼까요?

이 네 마디를 반복해 보세요.

건강하기를.
행복하기를.
고통받지 않기를.
평화가 늘 가득하기를.

눈을 감고 편안히 앉아 시작해 보세요. 코로 숨을 들이쉬고 내쉬며, 숨이 몸 안에 가득 차는 걸 느껴 보세요. 사랑하는 사람이 앞에 있다고 상상해 보세요. 마음속으로 그 사람에게 이 네 마디를 건네 보세요.

한 마디가 끝날 때마다 잠시 틈을 두고요. 호흡을 계속하며 여러분의 다정한 말과 에너지가 심장을 가득 채우는 걸 느껴 보세요.

이번엔 형제자매나 반 친구와 같은 경쟁 상대가 여러분 앞에 앉아 있다고 상상해 보세요. 만약 그런 상대가 없다면, 그저 아는 사람을 떠올려도 좋아요. 그 사람에게 네 마디를 건네 보는 거예요. 그리고 당신의 사랑 가득한 에너지도 전달해 보세요.

다음은 지구 어딘가에 사랑과 친절, 연민과 도움이 필요한 누군가를 떠올려 보세요. 네 마디를 반복하면서 숨을 들이쉬고 내쉴 때마다 사랑의 에너지를 그 사람들에게 보내 보세요.

마지막으로, 여러분 자신을 떠올려 주세요. 가슴을 사랑으로 가득 채우면서 내 자신에게 이렇게 전해 볼까요?

건강하기를.
행복하기를.
고통받지 않기를.
평화가 늘 가득하기를.

잠시 생각해 보아요. '축복 명상'을 하며 어떤 기분이 들었나요? 주변 사람들과의 관계에도 조금씩 긍정적인 변화가 생겼나요? 우리에겐 배우고 성장하고 사랑할 수 있는 힘이 있어요.

가능성으로 충만한 존재, 우리는 사람이에요.

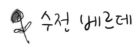

옮긴이의 말

누구나 한 번쯤 이런 적이 있을 거예요. 이불을 머리끝까지 뒤집어쓰고 얼굴이 새빨개져선, 괜히 허공에다 발길질하는 거예요. "으악, 나 도대체 왜 그랬지?" 하고요. 평소 나였으면 절대 하지 않았을 별난 행동을 하고, 도무지 내가 했을 것 같지 않은 사나운 말을 사람들에게 내뱉었던 날에는요. 생각하면 생각할수록 기가 막힐 노릇이지요.

한편 이런 날도 있잖아요. 지구 반대편, 온통 새카맣게 타 버린 숲속에서 긴급하게 구조되어 물을 마시는 코알라를 조그마한 스마트폰 화면으로 들여다볼 때요. 가슴이 아주 잘게 쪼개지는 기분과 함께 터져 나오는 울음을 멈출 수 없는 그런 날이요.

이런 날도 있었을걸요? 무례한 일을 당하고 어쩔 줄 몰라 쩔쩔매는 사람을 보고 별안간 화가 치솟아, 그 사람 대신 내가 눈을 부라리고 소리를 꽥 질렀던 순간 말이에요. 어디서 그런 용기가 솟았는지는 아직도 몰라요. 하지만 그때 내가 정말 그랬었지요.

우리의 일상은 언뜻 보면 비슷하게 닮은 듯해도 자세히 보면 저마다 달라요. 같은 상황이 주어져도 우린 다른 선택을 하기 일쑤거든요. 이럴 땐 이렇게, 저럴 땐 저렇게, 정답이 정해져 있으면 좋겠지만 정답지는 존재하지 않지요. 만약 정답지가 있다면, 온전히 내가 직접 쓴 것으로 세상에 단 하나뿐일 거예요.

모두가 빨간 색연필을 들고, 자신만의 정답지로 자기 시험지를 채점하는 모습을 상상하면 즐겁지 않나요? "에잇, 이게 아니잖아!", "내가 생각해도 이 정답지는 근사하군." 하면서 각자 중얼중얼하는 장면을 말이죠.

우리는 믿을 수 없을 만큼 어리석은 행동을 하기도 하고, 때로는 자신이 아닌 다른 사람을 위해 많은 부분을 포기하기도 하지요. 삶 속에서 다양한 순간들을 마주할 때마다 생각합니다. '나는 사람이구나.' 하고요. 또 '당신도 사람이었군요.' 하고 말이지요.

오늘도 후회할 일을 잔뜩 한 나,
그리고 더 잘하고 싶어서 안간힘을 쓴 당신을 꼬옥 안아주고 싶습니다.
우리는 사람이니까요.

좋아서 하는 그림책 연구회
 김여진

글 수전 베르데

그림책 《어린이 요가 놀이》, 《미술관의 초대》, 《물의 공주》의 작가입니다. 세 작품 모두 피터 H. 레이놀즈가 그림을 그렸습니다. 뉴욕주 이스트 햄튼에서 쌍둥이 아들 조슈아와 카브리엘, 딸 소피아와 함께 살고 있습니다. 여러 해 동안 초등학교 선생님으로 일한 경험을 바탕으로 동화를 쓰고, 어린이들에게 요가와 마음 챙김을 가르치고 있습니다.

그림 피터 H. 레이놀즈

모든 세대의 독자들이 사랑하는 그림책 작가이자 일러스트레이터입니다. 뉴욕타임스 베스트셀러에 오른 《너의 목소리를 들려줘!》와 《단어 수집가》, 《점》, 《느끼는 대로》, 《너에게만 알려 줄게》 등의 책을 펴냈고, 그의 그림책은 전 세계에 25개 언어로 번역되었습니다. 현재 미국 메사추세츠주의 데덤에 살며 책방이자 장난감 가게인 '블루 버니 북스 앤 토이즈'를 운영하고 있답니다.

옮김 김여진

'좋아서 하는 그림책 연구회' 운영진으로 매달 그림책 애호가들과 깊이 교류하고 있습니다. 블로그 '초록연필의 서재'를 정성 들여 가꾸며, 서울 당서초등학교에서 아이들을 가르치고 있습니다. 《재잘재잘 그림책 읽는 시간》과 《좋아서 읽습니다, 그림책》을 썼습니다.

스콜라 창작 그림책 024

나는 (　　) 사람이에요 : 세상과 마주한 우리를 위한 응원

초판 1쇄 인쇄 2021년 7월 16일 **초판 1쇄 발행** 2021년 8월 4일

글쓴이 수전 베르데 **그린이** 피터 H. 레이놀즈 **옮긴이** 김여진 **펴낸이** 이승현

편집3 본부장 최순영 **그림책 팀장** 김숙영 **편집** 남민희 **키즈 디자인 팀장** 이수현 **디자인** 오세라

펴낸곳 ㈜위즈덤하우스 **출판등록** 2000년 5월 23일 제13-1071호 **주소** 서울특별시 마포구 양화로 19 합정오피스빌딩 17층

전화 02)2179-5600 **내용문의** 02)2179-5682 **홈페이지** www.wisdomhouse.co.kr **전자우편** kids@wisdomhouse.co.kr

ISBN 978-89-6247-871-6 77800 · 978-89-6247-733-7 (세트)

이 책의 한국어판 저작권은 EYA(Eric Yang Agency)를 통한 Harry N. Abrams, Inc사와의 독점 계약으로 ㈜위즈덤하우스에서 출간되었습니다. 저작권법에 의해 한국 내에서 보호를 받는 저작물이므로 무단전재와 복제를 금합니다.

• 스콜라는 ㈜위즈덤하우스의 아동.청소년 브랜드입니다. • 인쇄·제작 및 유통상의 파본 도서는 구입하신 서점에서 바꿔드립니다.
• 책값은 뒤표지에 있습니다.

• 사용연령: 4세 이상 • 제조국: 대한민국
⚠ 종이에 베이지 않도록 주의해 주세요. 이 제품이 공통안전기준에 적합하였음을 의미합니다.

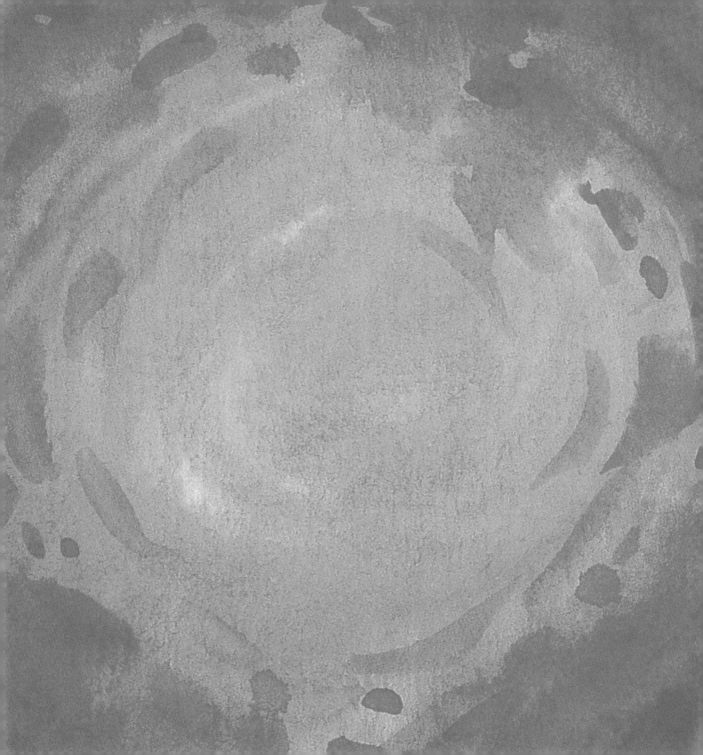